국가 R&D 정책에 대한 수요자 참여 방안

- 시민사회를 지향하는 국가 R&D의 발전 모색 -

국가 R&D 정책에 대한 수요자 참여 방안

발　행 | 2024년 05월 02일
저　자 | 최복경
펴낸이 | 한건희
펴낸곳 | 주식회사 부크크
출판사등록 | 2014.07.15.(제2014-16호)
주　소 | 서울특별시 금천구 가산디지털1로 119 SK트윈타워 A동 305호
전　화 | 1670-8316
이메일 | info@bookk.co.kr

ISBN | 979-11-410-8352-6

국가 R&D 정책에 대한 수요자 참여 방안

시민사회를 지향하는
국가 R&D의 발전 모색

최복경 지음

CONTENT

요약

□ 매년 막대한 예산을 지원하고 있는 국가R&D사업은 정책수립, 사업평가, 사업조정에 대해 기술관료와 전문가들에 의해 주도적으로 이끌어져 왔으나 최근 시민참여논의가 활발해 지면서 수요자 중심의 참여체계를 제안할 필요성이 대두되었음

□ 과학기술의 개발과 이용이라는 두 대응개념을 공급과 수요라는 개념으로 해석해 볼 때, 현행 과학기술의 평가는 개발분야 평가의 전문성은 확보되어 있으나 수요자 측의 참여는 이루어지고 있지 않으므로 수요자 위원회를 구성하여 국가연구개발사업 정책수행의 한 축으로 활용함이 필요함

□ 본문 1장에서는 국가정책에 대한 기존의 시민참여 형태를 정리하였고, 2장에서는 현행 국가연구개발사업 정책수립/평가/조정체계를 소개하였으며, 3장에서는 본 연구의 주제인 수요자 위원회 설치 방안을 제안하고, 4장에서 문제점을 논의하였음

□ 시민사회를 지향하는 국가R&D정책의 발전을 위하고, 막대한 예산이 투입되는 국가R&D에 대한 국민적인 감시망을 구축하여 기존에 문제점으로 지적되어온 정책엘리트(담당관료)의 일방적 정책결정과 전문가들이 참여하는 기술전문위원회의 지식우월주의적 정책과정에 국민이 적극적으로 참여하는 체계를 만드는 데 기여하는 것이 본연구의 주된 목적임

□ 이러한 수요자 위원회의 구축과 활동으로 일방적 지식전달

주의식 과학기술로부터 사회가 요구하는 과학기술을 개발하는 상호발전적이고 시민사회적인 선진국형 과학기술로의 변환이 이루어질 것으로 기대됨

□ 과학기술정책에 대한 시민참여가 과연 바람직한가에 대한 논의를 위해 시민참여 반대론과 찬성론 모두를 살펴보았으며, 찬성론의 입장이 주는 긍정적 측면이 우세하다고 판단되었음

□ 수요자 위원회의 운영을 위한 준비위원회가 발족되어야 하며, 국가R&D정책과정에 국민참여를 확대하기 위한 공청회와 여론수렴이 우선 시행되어야 함

□ 또한, 국민의 참여를 유도하기 위해 센터설치와 같은 인프라구축과 수요자중심의 사고전환을 위한 교육시스템이 가동되어야 함

□ 수요자 위원회의 설치가 시기상조라고 판단될 때에는 수요자 위원회의 대안으로서의 연구개발정책 인력풀의 활용방안이 강구되어야 할 필요가 있음

□ 수요자 참여를 위한 R&D정책 인력풀의 구축을 위해서는 위의 다섯가지 구분을 적용한 인력풀을 구축할 필요가 있으며, 이를 위해서는 한국과학기술기획평가원내에 인력풀 구축팀을 두어 장기간 지속적으로 인력풀을 취합하고 분류해야 할 것임

□ 수요자 위원회를 구성하지 않고 수요자 참여를 구현하는 대안으로 제시한 R&D정책 인력풀을 이용하더라도, 여론수렴센터의 도입 및 역할은 여전히 요구될 것임

제1장 머리말

1절 연구배경 및 목적

1) 연구배경

□ 국가 연구개발(Research and Development) 정책은 최근
정부의 지속적인 예산지원으로 08년에는 약 11조원에 육박하
고 있으며, 국가과학기술위원회 산하 과학기술혁신본부에서
모든 정부 부처의 R&D를 통합 관리(R&D정책수립, 사업평가,
사업예산조정)하고 있음.

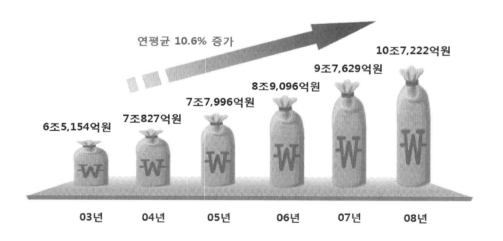

그림 1. 국가연구개발사업 년도별 예산('03~'08)

□ 이러한 막대한 예산을 R&D에 투입하고 있으나, 국민적 감
시망으로부터 제외되어 있어 과학기술시민사회에 걸맞지 않

으므로 국민(수요자)이 참여하는 방안의 도입이 요구됨

□ 우리나라의 R&D 정책수립은 정책엘리트(담당관료)가, 사업 평가 및 조정은 기술전문위원회의 결과와 정책방향에 따라 조정하고 있으며, 국민이 참여하는 통로가 극히 제한적으로 되어 있음

□ 그러나 최근의 정책분야의 흐름을 보면 시민참여라든지 사용자 참여형 방안 등이 제시되고 있어 이를 적극적으로 고려할 필요가 발생[1]

  - 정책엘리트가 정책문제를 인식하고 그것에 대한 해결책을 제시하면서 사회문제를 해결해왔던 방식에서 이제는 시민사회도 정책문제의 형성과 정책도출, 정책집행에서 중요한 주체로서 기능하는 상황들이 전개되어 왔음

  - 과학기술은 그 자체가 가지고 있는 합리성 내지 경제적 효율성에 의해 선택되고 발전하는 것이 아니라 과학기술과 관련된 사회집단의 상호작용에 의해 구성되므로 비전문가인 시민도 과학기술의 발전에 개입할 수 있으며, 시민사회는 주인으로서 과학기술활동을 지원하는 정부나 과학기술활동 주체를 모니터링하고 통제하는 기술시민권을 가질 수 있음

□ 또한, 우리나라는 그동안 국가연구개발사업에서 시민참여 활동이 활발하지 못했으며, 공공자금으로 사업이 운영되지만 그것의 기획·시행·관리·평가는 과학기술적 전문성이 필요하다

---

1) 송위진(2004), 사용자 참여형 기술혁신모델 연구, 과학기술정책연구원

는 "과학기술 예외주의"가 널리 유포되어 있기 때문이라고 지적하고 있음[2]

- 연구개발활동은 다른 사회활동과 달리 과학기술계와 기업들이 장기간에 걸쳐 축적한 전문성에 근거한 활동이기 때문에, 그것의 규율은 전문가 집단에 의해 구성되어야 한다는 주장이 그동안 당연하게 받아들여졌음

- 그러나 최근 과학기술 예외주의를 비판하는 과학기술의 참여민주주의 논의가 확산되고 있으며, 그동안 경제전문가와 정책전문가, 과학기술자에게 맡겨 놓았던 과학기술과 관련된 의사결정에 시민사회의 적극적인 참여가 필요하다는 논의가 전개되어 왔음

- 이윤추구를 위한 경제사회의 과학기술활동과 엘리트 의사결정자의 정책결정과정을 넘어, 과학기술이 초래할 수 있는 리스크를 통제하고 공익적 연구가 추진되도록 시민사회가 과학기술활동 및 과학기술 정책결정과정에 참여하는 것이 필요함

□ 시민참여가 필요한 이유를 알아보기 위한 설문조사 결과를 보면[3], 시민에 대한 책임성확보를 29%, 시민의 입장에서 평가하기 위함이 23%, 사업시책성성과의 정확한 파악을 13%로 하고 있어, 대부분이 시민참여가 주는 긍정적 영향으로 결과가 도출되었음

---

2) 송위진(2005), 국가연구개발사업과 시민참여, 『경제와 사회』, 통권 제67호.
3) 박해육·류영아(2006), 자체평가과정에서의 시민참여 활성화에 관한 기초연구, 한국지방행정연구원.

□ 따라서, 본 연구에서는 국가정책에 대한 국민(시민)참여 방안에 대한 요구를 충족하고자 기존 주장들을 살펴보고, 이를 국가R&D정책에 접목하는 시도를 하고자 함

2) 정책 거버넌스의 등장

□ 최근 일부의 정부정책과정에서는 각 정책영역별 지금까지의 정부중심의 패러다임에서 거버넌스 패러다임으로 서서히 변화하고 있는 정책사례들이 보고되고 있음

□ 정책결정을 기존의 정부의 주도하던 틀에서 벗어나 민간이 함께 주도적으로 참여하는 거버넌스[협치(協治)=governance]가 적극적으로 구성되어 이끌어 가야 한다는 논의가 이루어져 왔음[4]

□ 이러한 시대적 요구들은 국가의 연구개발정책에서도 마찬가지로 요구되며, 연구개발은 과학자나 엔지니어들만의 일이 아니라는 주장이 제기되어 왔음[5]

□ 또한, 연구개발예산의 배정과 분배에서 한정된 자원을 최대한으로 활용해야 한다는 절대명제가 작용되면서 유망하거나 경쟁력 있는 기술분야의 선택과 과학기술인을 포함한 이해관계자들 사이의 조정이 정부의 중요한 역할로 제시되었음[6]

　- 거버넌스 개념은 정책적 결정에서 사적 행위자와 조직화

---

4) 홍성만(2004), 과학기술정책에서 신거버넌스의 대두, 한국행정학회 동계학술대회
5) 서지영(2004), 연구개발정책결정과정, 무엇이 문제인가, 과학기술정책연구원.
6) 과학기술정책연구원(2005), 혁신주체 참여를 통한 과학기술 거버넌스 구축방안

된 이해관계자를 포함하고, 참여적 특성을 가지며, 따라서 정부의 독단적 결정이 아닌 민관협치화 이해관계자들의 협의를 거친 것으로 여겨지게 되어 R&D예산의 대상선택과 배분에서 그 정당성을 부여할 수 있음

- 또한 과학기술분야는 고도의 전문성이 요구되는 특성상 정부의 선택과 결정 결과가 과학기술계 전반의 지적 이해 수준을 압도하는 것이라 믿기 어려우므로, 정부의 자기의존성을 줄이고 네트워크와 정부 대 민간의 협력행위를 중시하는 거버넌스적 과정은 필수불가결하다고 볼 수 있음

□ 일반적으로 과학기술정책 거버넌스는 그림 2와 같은 개념으로 상호관련되어 있다고 보고 있음

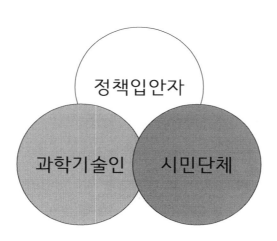

그림 2. 과학기술정책 거버넌스

3) 연구목적 및 지향점

□ 본 연구의 목적은 국가가 지원하는 연구개발정책에 대해 수요자가 참여하는 방안에 대해 검토하고, 최종적으로는 수요자 위원회의 설치 및 운영방안에 대해 제시하고 하는 것임

□ 우리나라의 과학기술정책의 년대별 변화를 살펴보면 다음과 같음[7]

<표 1> 한국의 과학기술정책과 정부의 역할

1960년대	1970년대	1980년대	1990년대	2000년대
연구제도 구축 - 과기부/KIST - 과학기술진흥법 - 과학기술을 포함한 경제개발5개년계획	연구기반 조성 - 정부출연연구소 - 대덕연구단지 - 연구개발진흥법 - 우수 인재 육성	연구개발과 민간 연구소 촉진 - 특정연구개발 사업 - 민간연구소 설립 촉진 - 산업연구개발 촉진	전략분야 선도 역할 - 선도기술개발 사업 - 협력연구개발의 촉진 - 정책 조정 - 정부출연연구소 개편	새로운 도전 과학기술부 총리체제 부처간 조정 및 고유 혁신촉진(지식재산권 강조)을 위해 과학기술혁신본부 설치

□ 2000년대부터 과학기술혁신체제가 가동되었으나 국민이 참여하는 제도는 매우 미흡한 것으로 나타나고 있으므로 수요자(국민)이 참여하는 방안이 필요함을 알 수 있음

□ 과학기술의 개발과 이용이라는 두 대응개념을 공급과 수요라는 개념으로 해석해 볼 때, 현행 과학기술의 평가는 개발분야 평가의 전문성은 확보되어 있으나 수요자 측의 참여는 이

---

7) 한국과학기술기획평가원(2007), 국민이 만들어가는 혁신의 시대로..., 영국 DEMOS 보고서(한국편)

루어지고 있지 않으므로 수요자 위원회를 구성하여 국가연구
개발사업 정책수행의 한 축으로 활용함이 필요함

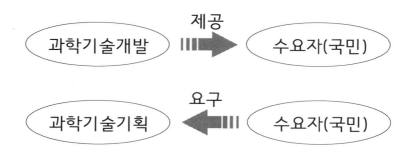

그림 3. 과학기술과 수요자와의 상호작용

□ 따라서 본 연구에서는 국가 R&D 정책에서 수요자(국민 또
는 시민)가 참여하는 방안을 제시하는 것을 지향점으로 함

2절 국가정책에 대한 시민참여

1) 과학기술정책과 민주주의에 대한 논의[8]
　　□ 산업사회의 과학기술정책은 중앙집권화와 일방적 하향식
　　결정과 집행으로 특징지을 수 있음. 과학기술정책이 소수의
　　전문가들에게만 참여기회가 제공되고, 행정관료들에 의해 독
　　점적으로 다루어져 왔음

---

8) 권기창 외(2006), 과학기술정책의 거버넌스 변화, 한국정책과학학회보 제 10권 3호

□ 과거에는 과학기술을 발전시키기 위하여 어떻게 과학기술계를 지원하고 과학기술활동을 촉진할 것인가에 초점이 맞추어졌다면, 새롭게 등장하고 있는 정책은 재해, 환경, 고령화, 안보, 경제성장 등 사회문제를 해결하기 위해서 과학기술을 어떻게 활용할 것인가에 관심을 두고 있음

   - 이러한 점을 고려하여 미국은 연방정부 각부처에 '과학자문관(Science Advisor)'을 두어 부처의 정책과 관련된 과학기술 조언을 하도록 하고 있고, 영국 정부는 기술수요예측사업(Technology Foresight Program)을 통하여 일반 시민이 자기 분야에서 예상되는 문제점을 도출토록 하고 그 결과를 연구개발 정책에 접목시키는 시도를 하고 있음(정성철, 2003).

   - 즉, 이제는 과학기술정책이 과학기술 자체를 위한 것이 아니라 과학기술의 사회적 기여도를 높이는 것이 되어야 한다는 것임.

□ 이러한 변화는 공급중심에서 수요중심으로 그 정책적 무게가 옮겨지고 있는 것이라고 할 수 있으며, 곧 과학기술정책의 민주화 문제라 할 수 있음

□ 민주화를 위한 개방은 일방적인 정책결정에 대한 비판과 권위적인 전문가들에 대한 인정 문제와 관련하여 쟁점을 생성시키고 있으며, 과거의 관행과 같은 독점적인 결정을 배척하고 정책에 대한 직.간접적인 이해관계자들이 다양한 형태의 상호작용을 통해 결정 등에 영향을 미치는 거버넌스체계의

도입이 대안으로 제시되고 있음

□ 또한, 과학기술자들의 사회적 윤리에 대해 회의적인 인식을 바탕으로, 이들이 잘못된 '권위'가 과학지식을 '암흑상자화'하고 '신비화'하고 있기 때문에 그들의 신비주의와 권위 파괴가 우선시되어야 한다는 주장도 제시되고 있음

2) 외국의 시민참여 형태

□ 선진 외국에서는 각종 국가 정책에 시민이 참여하는 형태가 다양하게 시도되어 왔으며, 갈수록 적극적으로 반영되고 있는 상황임

□ 정부의 국가정책에 대한 시민의 참여형태의 구분은 크게 세가지로 나눌 수 있음[9)]

□ 선진국에서 과학기술정책에 국민이 참여하는 형태는 다양하며, 다음과 같이 정리할 수 있음[10)]

- GM nation: 영국의 GeneWatch 프로그램으로 광우병파동 이후 만들어졌으며 국민의 의견을 on/off 상에서 수렴하여 정책에 반영

- 시민배심원제(citizen's jury): 다수의 시민패널을 구성하여 전문가들의 의견을 청취하고 해결책을 제시하는 역할을 함

---

9) 과학기술정책연구원(2005), 기술혁신정책 지원을 위한 조사연구
10) 국가과학기술자문회의(2007), 과학기술정책과 국민과의 상호작용 증진방안

<표 2> 시민의 참여형태

참여형태	관 계	행 위
정 보	정부가 시민을 위해 정보를 생산하고 전달하는 일방적인 관계	.시민의 요청에 따른 정보에 대한 수동적 접근 .정부가 시민에게 정보를 배포하려는 적극적인 조치 .예) 공공기록물, 관보 및 정부웹사이트
협 의	시민이 정부에게 피드백을 보내는 양방향관계	.정부가 시민의 견해를 알고자하고 그래서 정보제공이 필요한 이슈에 대해 사전에 명확하게 하고자 하는 것 .예) 여론조사, 입법초안에 대한 코멘트
적극적인 참여	정부와 파트너쉽에 바탕을 둔 관계	.이 관계에서 시민은 정책결정과정에 적극적으로 참여 .최종정책결정이나 정책형성에 대한 최종적인 책임은 정부가 지지만 정책선택을 제안하거나 정책대화를 형성하는 것이 시민의 역할로 인정

자료 : Coleman. S. & Goetze, J., 김영삼, 2000: 31 재정리

- 공론조사(deliberative poll): 과학적 확률표집을 통해 선발된 국민으로부터 토론을 통해 과학기술정책에 대한 의견을 도출함
- 시나리오워크샵(scenario workshop): 정책결정자, 기술전문가, 산업관계자, 국민의 네부류의 역할집단으로 구성하여 대화와 토론을 통해 새로운 제안을 도출해 냄
- 포커스그룹(focus group): 사회자와 참여자들로 구성되어 질의 응답으로 서로간에 의견 개진을 통한 발견적 여론 수렴 방법임

- 과학상점(science shop): 실험실이나 연구소가 지역주민의 요구에 대한 사용자 친화형 연구개발 활동을 수행함
- 기술포사이트(technology foresight): 경제사회 부문의 수요를 주된 고려사항으로 설정하여 과학기술의 장기발전을 조망하는 활동
- 기술영향평가(technology assessment): 사회적으로 이슈화된 과학기술의 사회적 영향을 알아보기 위해 수행하는 평가로서 부정적 측면을 최소화하고 긍정적 측면을 극대화하는 방안을 도출하는 것을 목표로 삼음
- 합의회의(consensus conference): 선별된 보통사람들이 사회적 이슈화된 과학기술에 대한 전문가 의견을 청취하여 토론을 거쳐 기자회견을 통한 합의문을 발표하는 형식의 활동임
- 과학기술자 정책참여: 과학기술자단체(협회 또는 학회 등)는 과학기술정책을 제시하거나 건의하여 과학기술자의 활동을 강화하는 데 있음

3) 우리나라 정책과정에서의 시민참여

□ 우리나라에서는 합의회의, 과학상점, 기술예측, 기술영향평가 등이 부분적으로 시행되어 왔음
□ '합의회의', '과학상점', '기술예측', '참여적 기술영향평가' 등은 지식 우위에 있는 과학기술자 집단들이 지식자원이 취약한 대중들에게 일방적으로 지식을 공급해주는 계몽모형.선

형모형을 비판하면서 출발하였으며, 그 실태를 요약하면 다음과 같음[11]

- 합의회의: 합의회의 자체가 특정 과학기술 문제를 사회적으로 공론화시키는 역할을 함(유전자조작 식품, 생명복제기술). 그러나 전반적인 운영이 정부기구가 아닌 비(非)정부기구 혹은 반(半)정부 기구에 의해서 이루어졌으며, 합의회의의 결과 도출된 정책권고안은 정부와 국회에서 적극적으로 수용되지 않고 있음

- 과학상점: 한국의 과학상점은 사실상 안정적인 재원이 확보되어있지 않은 상태로써, 아직 과학상점에 대한 홍보자체가 미진하고 그로 인해 과학상점에 대한 대중들의 인식수준이 높지 못하며, 과학상점의 운영에 대중참여도 두드러지지 않음

- 기술예측: 한국의 기술미래에 대한 전망은 기술예측(Technological Forecasting)의 형태로서 추진되었음(1994, 2000). 기술예측의 주요 목적은 과학기술의 발전 방향을 예측하고 기술 수준을 선진국과의 비교를 통해 점검함으로써 정책 목표를 제시하고 전략 수립에 필요한 기초 자료를 도출하는데 있음. 한국의 기술예측은 상설 기구나 상설화된 프로그램 없이 과학기술기획평가원과 같은 정부출연연구기관이 연구과제형태로 수행하고 있음

- 기술영향평가: 과학기술기획평가원은 추진계획을 수립하

---

11) 송위진(2004), 사용자 참여형 기술혁신모델 연구, 과학기술정책연구원

고 여러 전문분과위원회와 기술영향평가위원회의 평가결과
를 지원하는 기능을 수행하고 있으나 연구개발사업의 기획.
관리를 담당하면서 과학기술진흥과 육성에 초점이 맞추어
진 기관이 과학기술활동의 리스크를 사전적으로 검토하는
영향평가를 담당하는 것에 대한 문제가 제기되고 있음. 전
문가 중심의 영향평가가 이루어짐으로써 시민사회의 의견
수렴을 위한 활동은 적극적으로 이루어지지 않았음. 또한
기술영향평가 결과를 정책에 반영할 수 있는 통로가 명확
하지 못하며, 제도적 기반이 아직 취약함

그림 4. 기술영향평가 추진체계도[12)

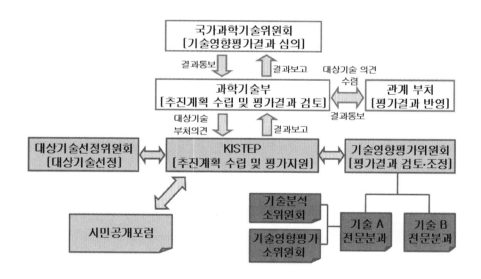

12) 과학기술혁신본부 과학기술정보과, '06년 기술영향평가 추진계획(안)

□ 기술영향평가를 좀 더 자세히 살펴보면, 시민참여부분에서는 시민공개포럼이라는 제도적 장치가 마련되어 있으나, 어디까지는 참고용 행사에 그치는 경우가 많고 여전히 기술영향평가위원회는 전문가들 위주로 구성되어 아직은 국민참여 정도로 볼 때 매우 초보적인 단계임을 알 수 있음

□ 최근에 과학기술에 대한 정책참여 형태에 대해 전통적 참여형태와 새로운 참여형태를 구분하여 정리한 연구가 보고되었으며[13], 표 3과 4에 그 내용을 인용함

<표 3> 과학기술에 대한 정책참여 -전통적 형태

구분	사 례	평가
의견조사	· 한국과학문화재단이 실시하는 『과학기술에 대한 국민이해조사』: 2000년부터 시작된 것으로, 여론조사 전문기관인 한국 갤럽에 의뢰해 매 2년마다 과학기술과 과학기술정책에 대한 국민들의 의견을 조사 · 연구윤리 가이드라인을 제정하기 위한 의견조사	· 비교적 자주 활용 · 2년마다 공식적인 형태의 주설문조사 외에 특정한 사안이 있을 시 의견 조사 실시
공청회	· 2000년 12월 6일 한국보건사회연구원이 보건복지부로부터 의뢰 받아 작성한 "생명과학보건안전윤리 법안"(시안)에 대한 공청회	· 정부 차원에서 가장 많이 활용 · 정부에서는 주요 과학기술정책을 최종적으로 결정하기 전에 일단 공청회를 거치는 것이 현재 관례화
자문위원회	· '생명윤리자문위원회' : 2000년 8월에 생명과학의 급속한 발전으로 야기되고 있는 생명윤리에 관한 여러 문제를 논의 · <생명윤리및안전에관한법률>이 통과되면서 대통령 소속 하에 국가생명윤리심의위원회가 설치(2003년) · 국가에너지위원회(2007년 설치)	· 전문가 중심으로 자문위원회를 구성/운영하였으나 최근 들어 시민단체의 추천을 받은 자문위원을 추가적으로 구성 · 대부분 국민참여가 미진한 편임
주민투표	· 2005년 중저준위 방사성폐기물 처분장(이하 방폐장) 유치	· 방폐장 사례를 제외하곤 별다른 사례가 없음

13) 국가과학기술자문회의(2007), 과학기술정책과 국민과의 상호작용 증진방안

<표 4> 과학기술에 대한 정책참여 -새로운 형태

구분	사 례	평 가
합의 회의	· 유네스코 한국위원회가 19998년과 1999년도에 개최 : "유전자조작 식품의 안전과 생명윤리"에 관한 합의회의 · 참여연대 시민과학센터가 2004년에 개최 : "원자력 중심의 전력정책, 어떻게 할 것인가?"라는 주제로 합의회의를 개최	· 정부가 아니라 비정부조직에 의해 주도 · 시민패널 보고서의 정책권고안이 정부의 최종적인 정책결정에 영향을 미친것에 대해서는 부정적 · 합의회의 개념이 언론에 소개한 데에 의의가 있음
기술 영향 평가	· 2003년 NBIT (Nano-Bio-Info Technology)를 대상으로 기술영향평가 시범사업이 시행 · 2005년에 RFID(Radio Frequency Identification)기술과 나노기술을 대상으로 시행	· 전문가그룹에 의한 영향평가만이 아니라 일반 국민들이 영향평가과정에 참여할 수 있는 '시민공개포럼'이라는 참여적 영향평가 실시 · 예산 및 시간의 부족, 광범위한 주제 선정 등으로 인해 형식적이라는 비판이 제기
과학 상점	· 2004년에 '시민참여연구센터'과학상점을 스스로 설립하고 그 활동을 개시	· 지역 비정부조직에 의해 자발적으로 만들어지고 운영 · 지역 주민이 과학기술 연구개발활동에 참여하는 제도임 · 지역정부의 과학기술정책에 직접적으로 미치는 영향력은 확인이 어려움
기술 예측	· 제1회 과학기술예측조사(1994년) · 제2회 과학기술예측조사(1999년) · 제3회 과학기술예측조사(2004년)	· 점차 경제사회적 니즈를 바탕으로 한 기술예측을 실시하였으나, 전문가 위주의 기술예측을 실시 · 과학기술 전문가뿐만 아니라 인문사회 전문가도 활용 · 경제사회적 니즈와 세부적인 기술과제를 유기적으로 연계시키는 작업은 미흡했으며, 전문가 집단 이외에 일반 시민이나 관련 단체가 참여하는 것으로 발전하지 못함
과학 기술 자의 정책 참여	· "21세기 프론티어 연구개발사업 추진 기획위원회": 설문조사를 통해 외부인들 (전문가 및 일반인)로부터도 과제를 제안받아 후보과제를 선정 · 차세대 성장동력 사업(2003년)	· 과학기술자가 정책기획시 전문가로서 참여하였으나 시민사회의 의견이나 관점이 반영될 수 있는 통로는 거의 없었음 · 과학기술자의 정책 참여가 정부에 의해 이미 설정된 의제를 바탕으로 구체적인 사업을 기획

4) 시민참여 모델 분석

□ 앞에서 살펴본 시민참여모델들에 대한 평가를 참여의 주체, 영역, 효과의 세부분으로 나누어 분석한 결과[14]를 다음과 같이 정리하였음

□ 참여의 주체 문제로서 공공적 의사결정의 참여 주체들은 해당 이슈에 대해 특정한 이해관계를 가지고 있는가 그리고 참여자가 일반시민인가 전문가/기술관료인가에 따라 구분할 수 있음

　　- 이에 따라 특정 이해관계가 없는 일반시민, 특정 이해관계가 있는 이해당사자 그리고 전문가/기술관료라는 세가지 유형의 참여주체로 구분됨

　　- 시민배심원제, 합의회의, 포커스그룹 등의 시민참여모델에서는 다루는 의제와 특정 이해관계를 가지지 않는 일반시민이 주로 참여하며, 시나리오 워크샵과 같은 시민참여모델에서는 이해당사자와 일반시민이 모두 참여하고 있음

　　- 그러나 이러한 시민참여모델들은 모두가 공통적으로 전문가/기술관료에 의해 독점되는 의사결정구조를 거부하고, 일반시민과 이해당사자를 핵심적 참여주체로 하고 있다는 점에서 참여민주주의적 의사결정구조를 지향하고 있다고 평가할 수 있음

□ 참여의 영역 문제로서 시민참여모델을 평가하기 위해서는

---

14) 이영희(2002), 기술사회에서 참여민주주의의 가능성 연구-과학기술정책 관련 시민참여 모델 평가를 중심으로

시민참여가 어떠한 영역(주제)들에 대해 이루어지고 있는가의 문제도 중요함

- 전통적인 기술사회의 관점에서는 기술적 전문영역에 시민이 참여하는 것은 바람직하지 않다고 주장해 왔음
- 그러나 일반시민들은 기술적 전문가들이 가지고 있는 지식과는 상이한 종류의 지식을 기반으로 하여 기술적 주제에 대한 논의과정에 참여하는 것이므로 오히려 과학기술자들이 간과할 수 있는 점들을 잘 지적해 낼 수 있는 장점이 있다고 할 수 있음

□ 참여의 효과 문제로서 참여의 효과란 시민참여의 결과가 정책 결정에 구체적으로 반영되는 정도를 의미함

- 시민참여모델들에 따른 참여의 정책적 효과는 현재까지로 보면 긍정적임. 이는 비록 직접적인 영향은 아니더라도 다양한 시민참여를 통해 형성된 사회적 여론은 정책결정자들에게 상당한 압력으로 작용하기 때문이며, 따라서 시민참여모델들은 나름대로의 직간접적인 정책적 효과를 통해 참여민주주의의 실질적 구현에 기여하고 있다고 평가할 수 있음

5) 과학기술정책 시민참여모델의 평가

□ 각국의 과학기술정책 시민참여모델의 평가를 위해 6개 시민참여모델을 중심으로 평가를 수행한 연구결과를 보면 다음과 같음

<표 5> 과학기술정책 민간참여 평가[15]

시민참여모델	평가 부문			
	의제설정	참여자	운영방식	참여 결과
시민배심원	□	●	●	□
규제교섭	□	△	□	●
포커스 그룹	□	□	●	●
시나리오 워크숍	□	●	●	●
합의회의	●	●	●	□
시민자문위원회	□	●	●	□

※ 평가기준 : ● (우수), □ (양호), △ (취약)

□ 민간참여 평가 결과(표 5)를 보면 대체로 합의회의나 시나
리오 워크숍이 좋은 평가를 받고 있음

---

15) 박희봉·김명환(2004), 외국의 과학기술정책에 대한 민간참여 형태, 한국행정학회 추
계학술대회

제2장 국가R&D정책 운영 현황

1절 R&D 정책 체계

1) 국가정책과 국가R&D정책

□ 국가R&D정책은 국가정책이라는 큰 들내에 포함되며, 본 연구에서는 국가R&D정책을 다룸

그림 5. 국가R&D정책의 범위

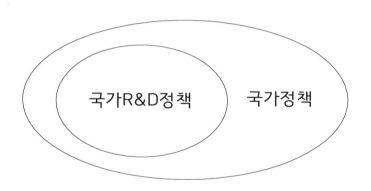

□ 일반적으로 R&D정책의 내부과정을 살펴보면, 다음의 네 단계의 순환적 고리로 이루어져 있다고 할 수 있음

그림 6. 국가R&D정책의 내부과정

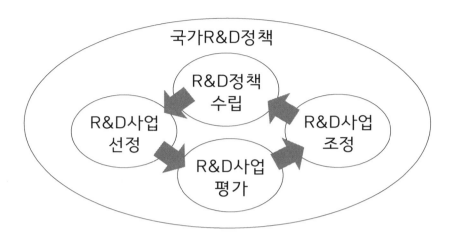

2) R&D정책 추진체계

□ 우리나라 국가 R&D 정책의 수립은 국과과학기술위원회 산
   하 과학기술혁신본부에서 주관하고 있으며 국가기술혁신체계
   (NIS)를 통해 R&D 정책을 추진하고 있음[16]

   - 추진배경으로 21C 지식기반사회에서 기술혁신은 노동투
     입, 자본축적에 의한 성장의 한계를 돌파할 새로운 성장엔
     진으로 부각되었으며, 특히 선진국의 견제와 개도국의 추격
     을 극복하기 위해서는 기술혁신을 통한 혁신주도형 성장모
     델로의 전환 필요함. 이를 위해 참여정부는 국가기술혁신특
     별위원회를 설치하였으며('04.6),「국가기술혁신체계(NIS) 구

---

16) 과학기술부 홈페이지, 국가연구개발 부문내용 참조

축방안」을 수립하였음('04.7)

- 그동안의 추진 성과로 13개 부처 공동으로 NIS 구축방안
에 대한 세부추진계획 수립되었으며, 5대 혁신분야/30대 중
점추진과제/65개 세부과제를 선정하고 과제별 주관부처 지
정(04.12)되었고, 과학기술혁신본부와 과학기술중심사회추진
기획단은 NIS구축방안의 추진현황을 주기적으로 점검 및
연도별 시행계획을 수립하고 추진실적을 반기별로 점검하
여 국가기술혁신특별위원회에 보고하며, NIS 구축방안의 2
년간 추진성과를 종합 점검(06.8~12)하고 점검결과는 제5회
국가기술혁신특별위원회 및 제22회 국가과학기술위원회에
보고(06.12)하고 있음

2절 R&D 사업기획 및 선정 체계 현황

1) R&D 사업기획 및 선정

□ 국가연구개발사업은 정부가 국가차원에서 과학기술과 관련
된 경제·사회적 문제를 해결하기 위해 특정한 목표를 설정하
고 연구개발자원을 전략적으로 결집하여 연구개발 활동을 수
행하는 사업을 말함[17]

□ R&D 사업은 정부 부처별로 자체적인 R&D 시스템을 통해
사업공고 및 선정을 하고 있음

---

17) 송위진(2005), 국가연구개발사업과 시민참여, 『경제와 사회』, 통권 제67호.

2) R&D 사업기획 및 선정 사례 (해양수산부의 경우)

□ 해양수산부의 해양과학기술 관리체계 현황[18]

 - 연구개발사업 관련 업무는 기능별로 분산되어 있으며, 연구개발사업의 사후관리 및 실용화 촉진은 소관과에서 개별적으로 추진하고 있음

 - R&D 담당부서는 R&D 기획연구 수요조사, 성과평가(자체평가, 상위평가 준비), 국가과학기술위원회 및 과학기술관계장관회의 관련 업무, 각종 R&D 관련 자료 취합, 과학기술혁신본부 요구자료 작성 등임

그림 7. 해양수산부의 R&D 관리체계

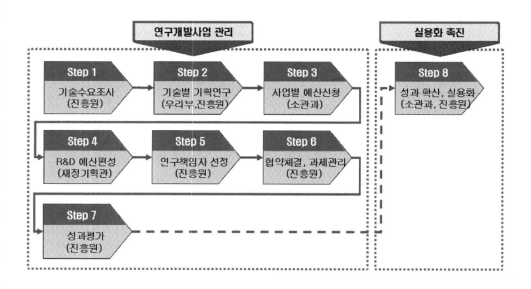

18) 한국해양수산기술진흥원(2006), R&D사업 운영효율성 제고를 위한 워크샵 발표자료

□ 기술수요조사 근거 및 목적[19]

　- 기술수요조사는 해양과학기술 연구개발사업 운영규정 제15조(연구개발과제 발굴 등)에 근거함

　- 발전적이고 미래지향적인 연구 현장 수요를 반영하고, 국가 경쟁력을 확보할 수 있는 해양과학기술을 발굴하기 위한 상향식 수요조사를 실시하는 것을 목적으로 함

　- 2008년도 해양과학기술 연구개발사업 신규 지원대상사업 및 과제를 발굴하고, 정부의 각종 연구개발사업 정책 수립시 기초자료로 활용하고자 함

□ 기술수요조사 추진절차 및 결과활용

　- 기술수요조사 제안 중 우수과제는 해양과학기술 연구개발사업의 신규지원 대상과제로 발굴하여 2008년도 미래해양기술개발사업으로 공고. 또는 2009년 미래해양기술개발사업 예산요구에 반영

　- 해양과학기술 연구개발사업 정책수립시 기초자료로 활용

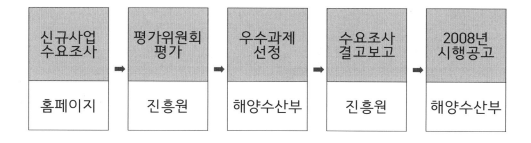

---

19) 한국해양수산기술진흥원(2007), 2008 해양과학기술 연구개발사업 기술수요조사 안내문

□ 해양수산부 연구사업 공모 및 선정 추진 절차[20]

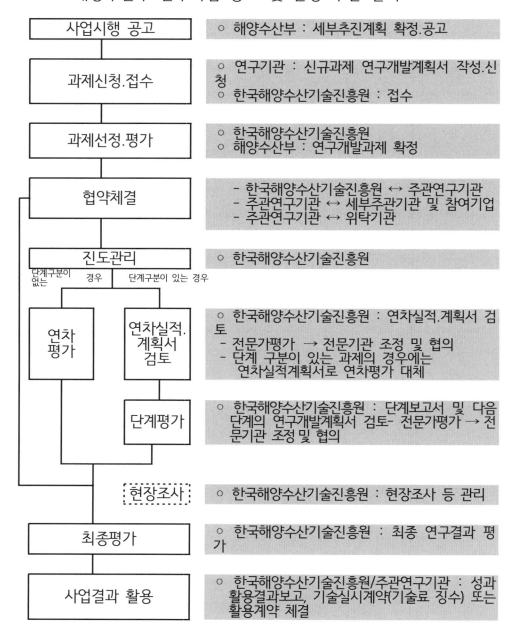

사업시행 공고	○ 해양수산부 : 세부추진계획 확정.공고
과제신청.접수	○ 연구기관 : 신규과제 연구개발계획서 작성.신청 ○ 한국해양수산기술진흥원 : 접수
과제선정.평가	○ 한국해양수산기술진흥원 ○ 해양수산부 : 연구개발과제 확정
협약체결	- 한국해양수산기술진흥원 ↔ 주관연구기관 - 주관연구기관 ↔ 세부주관기관 및 참여기업 - 주관연구기관 ↔ 위탁기관
진도관리	○ 한국해양수산기술진흥원

단계구분이 없는 경우   단계구분이 있는 경우

연차평가 / 연차실적.계획서 검토	○ 한국해양수산기술진흥원 : 연차실적.계획서 검토 - 전문가평가 → 전문기관 조정 및 협의 - 단계 구분이 있는 과제의 경우에는 연차실적계획서로 연차평가 대체
단계평가	○ 한국해양수산기술진흥원 : 단계보고서 및 다음 단계의 연구개발계획서 검토- 전문가평가 → 전 문기관 조정 및 협의
현장조사	○ 한국해양수산기술진흥원 : 현장조사 등 관리
최종평가	○ 한국해양수산기술진흥원 : 최종 연구결과 평가
사업결과 활용	○ 한국해양수산기술진흥원/주관연구기관 : 성과 활용결과보고, 기술실시계약(기술료 징수) 또는 활용계약 체결

---

20) 과학기술혁신본부, 2007년도 정부연구개발사업 종합안내서

3절 R&D 사업 평가 체계 현황[21]

□ 국가 R&D 사업평가는 정부 부처에서도 자체적으로 이루어지고 있지만 통합적으로는 국가과학기술위원회 산하 과학기술혁신본부에서 수행하고 있음.

□ 현행 국가연구개발사업의 평가는 특정평가와 자체+상위평가로 이루어져 있으며, 특정평가와 상위평가는 각각 해당되는 평가위원회를 구성하여 다루고 있음

1) 평가체계 추진근거 및 경위

□ R&D 사업평가의 추진근거는 다음과 같음

- 「국가연구개발사업 등의 성과평가 및 성과관리에 관한 법률」('05.12)의 제7조(특정평가 및 상위평가의 실시), 제8조(자체성과평가의 실시) 및 「2007년도 국가연구개발사업 성과평가 실시계획」('06.12)

□ 국가과학기술위원회는 국가연구개발사업에 대한 체계적인 조사.분석을 통해 추진실적을 평가하고 개선방안을 도출하여 투자효율성 제고하기 위해 과학기술기본법(제12조)에 따라 '99년부터 국가연구개발사업에 대한 조사.분석.평가를 실시해 오고 있음

□ 추진경위는 다음과 같음

---

21) 국가과학기술위원회 과학기술혁신본부, 2007년도 국가연구개발사업 특정평가지침, 자체 및 상위평가지침

- 「국가연구개발사업 등의 성과평가 및 성과관리에 관한 법률」(이하 '성과평가법') 제정('05.12)하였으며, 법 시행 전 특정평가 시범 실시(05. 6~9)를 통해 특정평가 대상선정 방안 검토 및 평가위원회 구성.운영방안, 평가방법 등 개발
- 새로운 평가제도에 따른 첫 특정평가를 실시('06년)하였으며, 총 사업비가 3,000억원 이상인 사업, 보건의료기술개발 등 중복 조정이 필요한 사업 등 50개 사업(18%), 3조 621억원(52.9%)을 특정평가하였고, 나머지 188개 사업은 부처 자체평가와 국과위 상위평가를 실시하였음
- 2007년에는 총 사업비가 1,500억원 이상인 사업, 나노인프라 등 중복 조정이 필요한 사업 등 51개 사업(25%), 1조 6,038억원(25%)을 특정평가하였음

2) 평가목적 및 기본방향

□ 평가목적은 국가연구개발사업의 추진실적 및 성과에 대한 정확하고 공정한 평가를 통해 국가연구개발사업의 투자효율성을 제고하기 위함임

- 국과위는 국가 R&D 전체에 대한 성과평가의 원칙과 기준을 제시하고, 주요 연구개발사업에 대한 특정평가(심층평가)를 실시

- 국과위는 자체평가시 활용될 수 있는 「표준성과지표」를 제공하고 자체평가의 적절성 점검(상위평가)

□ 개별 부처 및 연구회는 사업별 성과목표/지표를 설정하고

특정평가 이외의 연구개발사업에 대한 자체평가를 실시

그림 8. 국가연구개발사업 평가 개요도

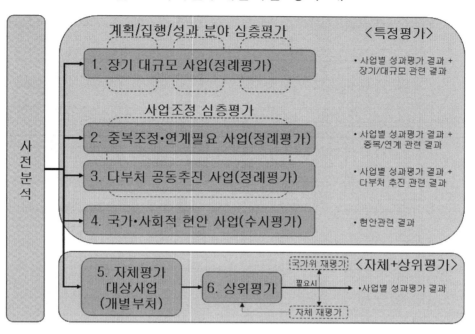

3) 특정평가 체계

□ 심층적.전문적 평가를 위해 3년 단위 주기 평가제 도입으로 국과위가 당해 연도에 직접 평가하는 사업수를 적정하게 조정하여, 심층적이고 집중화된 평가 시행하며, 분야별 전문가로 이루어진 간사위원단이 사업별 사전분석을 실시하여 그 결과를 평가 자료로 적극 활용

□ 성과중심의 평가체계를 구축하기 위해 국가연구개발활동의 평가체계를 성과중심으로 혁신하고 성과기반관리를 강화하여

연구개발자원 배분.활용의 효율성 제고하며, 성과중심의 평가
체제 구축을 통한 국가연구개발사업 생산성 향상을 꾀함

□ 평가결과의 적극적 활용을 위해 평가 결과, 조정.정비가 필
요한 사항에 대하여는 현재의 포괄적 권고에서 사업내용 개
선에 대한 구체적 대안 제시함

　　- 사업목표의 수정 등 사업계획의 변경, 관련 사업과의 연
계 추진, 부처간 사업추진체계 정비 등에 반영

　　- 차년도 부처 자체 예산편성 및 혁신본부 예산조정/배분에
반영

　　- 사업별 평가점수는 부처별 국무조정실 정부업무 평가 점
수에 반영

□ 상시 평가 시스템 구축하기 위해 국가.사회적 주요 현안
사업에 대하여 연중 수시평가를 실시함

□ 평가의 기본체계로서 분야별 평가위원회를 구성.운영하고,
필요시 중복조정/연계 또는 다부처공동수행 사업군에 대한 검
토위원회를 구성하여 분야별 평가위원회와 연계 운영

4) 자체평가 및 상위평가 체계

□ 자체평가의 기본방향은 다음과 같음

　　- 부처의 연구개발 추진의 책임성·실효성 제고를 위해 부
처의 자율적 평가체제 구축의 필요성 증가

　　- '05년 국가연구개발사업 성과평가법 제정에 따라 부처
자체평가 실시 의무화

- 부처의 자율적 성과관리 능력 제고

- 성과평가 실시를 통한 R&D 예산절감 및 성과 극대화 추구

- 부처 자율평가, 사업별 절대평가 원칙은 유지하되, '07년 중 주요 문제점을 보완하여 '08년까지 자체평가시스템 완성

- 자체평가 및 상위평가기준을 강화하여 자체평가가 형식적·자의적으로 실시되지 않도록 관련 제도 마련

- 지역 및 사업별 특성지표 및 질적 지표 확대 등 표준성과지표의 확대·보완

- 국무조정실 정부업무평가와 연계 운영하여 자체평가추진의 효율성 제고

□ 상위평가의 기본방향은 다음과 같음

- 자체평가의 사업별 성과목표.지표의 적절성, 평가절차 및 방법의 객관성.공정성, 평가결과의 적절성 여부를 점검하여 자체평가제도의 조기정착 도모

- 상위평가의 강화를 통해 자체평가의 실효성 제고

- 평가결과를 국무조정실 정부업무평가 재정사업부문의 개별사업별 평가점수로 활용

- 부처별 자체평가성실도 순위를 산정하여 자체평가결과의 국과위 및 국무조정실 보고시 함께 보고하며, 필요시 기관장급 회의에도 평가결과 보고 (과기장관회의)

- 상위평가결과를 해당부처 및 자체평가위원회에 함께 통

보하여 평가의 책임성 강화

5) 평가결과의 활용

□ 특정평가 결과의 활용은 다음과 같음

　- 부처는 차년도 예산요구서 작성 시 평가결과를 반영하고, 국과위는 예산 조정·배분시 이를 확인·점검

　- 국조실은 사업별 특정평가 점수를 정부업무평가 중 재정사업(R&D) 분야의 해당 사업 평가점수로 활용

　- 국과위는 부처에 평가결과에 따른 시정조치를 요구(평가년도)하고 매년 실적을 점검하여 그 결과를 예산 조정·배분에 반영

□ 자체·상위평가의 활용은 다음과 같음

　- 부처는 평가결과를 사업계획 수정, 투자우선순위 설정, R&D 예산요구서 작성 등에 활용하고, 국과위는 예산 조정·배분시 이를 확인·점검

　- 국조실은 사업별 자체평가 점수를 정부업무평가 중 재정사업(R&D) 분야의 해당 사업 평가점수로 활용

　- 상위평가 결과 '적절'인 사업은 해당 자체평가 점수를, '부적절' 사업은 국과위가 조정한 점수를 반영

　- 과기부는 부처별 자체평가 충실도를 산정하여, 그 결과를 국과위, 정평위, 기관장급 회의 등에 보고(공개)하고 국조실과 협의하여 우수 부처에 대한 정부업무평가상의 인센티브를 부여

- 상위평가결과에 따른 사업 성과목표.지표 및 평가방법 개선 여부 등은 차년도 상위평가 또는 특정평가시 점검

6) 평가위원회 구성 및 운영체계

□ 총괄운영위원회의 구성은 다음으로 함

- 분야별 평가위원회 활동 조정, 평가결과의 최종 검토.조정, 이의신청심의위원회 구성.운영 등 평가위원회 운영 총괄

- 과학기술혁신본부 기술혁신평가국장(위원장), 평가위원회 위원장(위원), 과학기술혁신본부 조사평가과장(간사)으로 구성

그림 9. 평가위원회 구성 체계

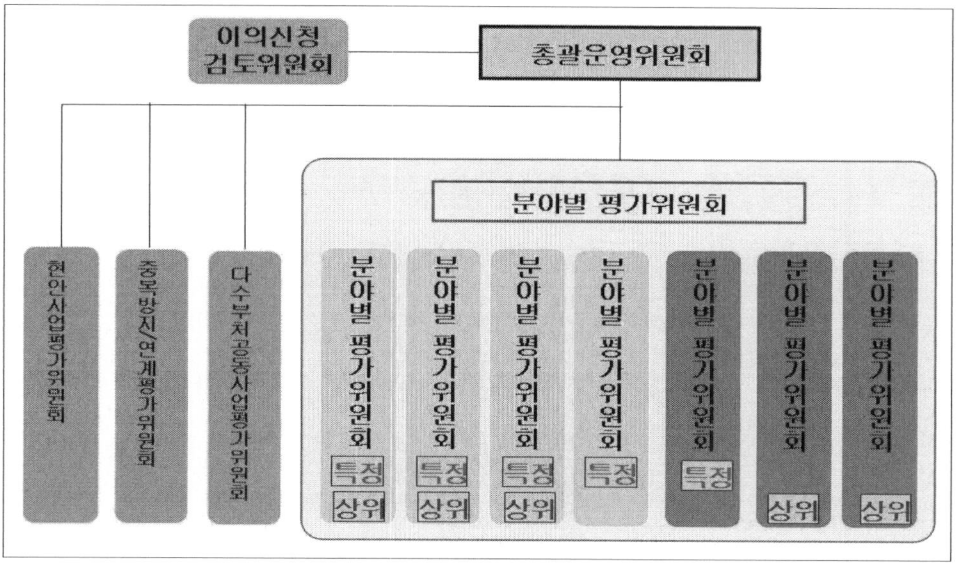

※ 평가위원회 위원 임기 : 당해연도 2월 ~ 12월(연임 가능)

□ 분야별 평가위원회(특정 및 상위)를 다음과 같이 구성함

- 과학기술혁신본부는 기술분야별로 10개 위원회, 사업목적별로 4개 위원회를 구성하되, 동일 평가위원회 내에서 특정평가와 상위평가 위원을 별도 구성하여 전문성 제고
- 위원회별로 15인(특정 : 10인, 상위 : 5인) 내외로 구성
- 평가위원은 분야별 전문가를 중심으로 경영/정책 전문가를 포함

□ 중복방지/연계 및 다수부처공동사업 평가위원회를 필요시 구성함

- 과학기술혁신본부는 위원회별로 분야별 전문가 10인 내외로 평가위원을 선정하여 중복방지/연계사업 및 다수부처 공동사업 관련 심층평가하며, 사업별 평가등급 및 사업군별 조정안 도출

□ 평가위원회별 간사위원의 선정과 역할은 다음과 같음

- 과학기술혁신본부는 분야별 평가위원회, 중복방지/연계 평가위원회별로 간사위원을 선정
- 간사위원은 평가위원회에 대상사업 특성, 평가쟁점 사항 보고 (사전분석보고서 작성), 사업별 연구성과(논문,특허 등)의 확인·검증 등 위원회의 효과적 운영을 위해 필요한 역할을 수행

□ 이의신청심의위원회는 이의 신청이 있을 경우 별도로 구성함

□ 평가위원회 운영일정은 07년 기준으로 다음과 같음

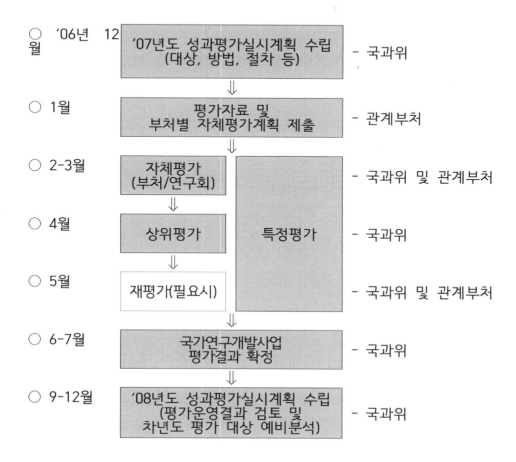

○ '06년 12월 : '07년도 성과평가실시계획 수립 (대상, 방법, 절차 등) - 국과위

○ 1월 : 평가자료 및 부처별 자체평가계획 제출 - 관계부처

○ 2-3월 : 자체평가 (부처/연구회) - 국과위 및 관계부처

○ 4월 : 상위평가 / 특정평가 - 국과위

○ 5월 : 재평가(필요시) - 국과위 및 관계부처

○ 6-7월 : 국가연구개발사업 평가결과 확정 - 국과위

○ 9-12월 : '08년도 성과평가실시계획 수립 (평가운영결과 검토 및 차년도 평가 대상 예비분석) - 국과위

4절 R&D 사업 조정 체계 현황[22]

1) 추진방향

---

22) 과학기술혁신본부, 한국과학기술기획평가원, 2008년도 국가연구개발사업 예산조정.배분 전문위원회 전략회의 자료

□ 국가 R&D 비전과 목표 달성을 위한 전략성 강화

- 과학기술기본계획, NIS 등 국가 계획과 중장기 전략*에 따른 전략적 R&D 예산조정.배분 추진

* 국가R&D사업 Total Roadmap(중장기 발전전략), '08년 국가연구개발 투자방향 등

- 민간부문과의 역할분담 및 연계를 고려한 적정 정부 R&D 투자포트폴리오 설정

□ 전문위원회의 활성화를 통한 전문성 강화

- 다양한 분야의 전문가 참여 확대와 기술분야별 민간전문위원회의 심층적.상시적 검토 체계 강화

- 평가 및 예산조정 전문위원회간 위원 교류 확대를 통한 평가와 예산 검토 연계 체계 활성화

□ 내실화된 성과평가에 기반한 공정성.투명성 강화

- 국과위 R&D사업 심층평가 기능 강화, 부처 자체평가 기준 강화 등을 통한 성과평가의 실효성 제고

- 성과평가 결과와 예산의 긴밀한 연계 등 객관적 기준에 의한 예산조정.배분 강화

2) 예산조정·배분 대상

□ R&D예산 분류기준에 의한 중앙행정기관 소관 R&D예산 중 인문.사회.경제분야 연구개발사업을 제외한 사업

- 각 부처 정책연구비는 제외하되 과기부 및 산하 3개 연구회 정책연구비는 포함

□ '07년 기준 대상사업은 32개 부.청의 419개 연구개발사업 중 18개 부.청의 354개 연구개발사업(8조 9,064억원)

　　- 신규 연구개발사업의 포함여부는 「연구개발투자 분류 및 통계처리 기준」에 따라 판단하되 혁신본부와 협의.조정

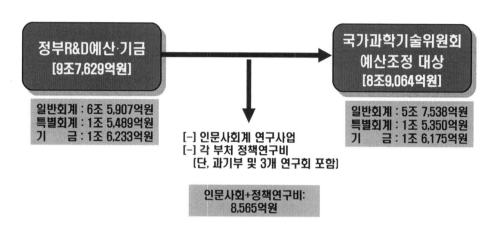

3) 예산조정·배분 체계

□ 효율적으로 예산조정과 배분을 하기 위해 다음의 순서로 수행함

　　- 기술분야별 민간전문위원회의 심층적.상시적 검토

　　- 과학기술혁신본부에서 종합적인 조정.배분(안) 마련

　　- 국가과학기술위원회에서 최종 심의.확정

　　- 과학기술혁신본부와 기획예산처와의 협의를 통해 정부 (안) 확정

그림 10. 예산조정 전문위원회 구성 체계

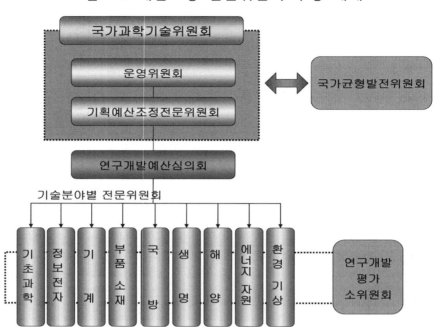

□ 기술분야별 민간전문위원회 검토

- 기술분야별로 투자방향, 사업타당성, 계속·신규사업의 중복 및 연계 등 연구개발사업의 전문적인 심층검토를 통해 의견 제출

※ 전문위원회 : ① 기초과학 ② 정보전자 ③ 기계 ④ 부품. 소재 ⑤ 국방 ⑥ 생명 ⑦ 해양 ⑧ 에너지.자원 ⑨ 환경.기상

- 위원은 기술분야별 산.학.연 전문가로 구성 함

※ 평가와 예산조정의 유기적인 연계 강화와 위원회의 운영 효율성 제고를 위해 평가위원회 인력 Pool의 공동 활용

□ 과학기술혁신본부(연구개발예산심의회) 검토
  - 국가연구개발 투자방향, 정책과제, 성과평가결과 등을 고려한 R&D 조정·배분안 마련
  - 구성 : 혁신본부 연구개발 조정관, 기술분야별 심의관, 연구조정 총괄담당관 및 연구개발 예산담당관 등으로 구성
□ 국가과학기술위원회 심의
  - 국가연구개발사업 투자방향 및 다음년도 예산의 조정 및 배분(안) 수립에 관한 사항을 심의.확정
  - 기획예산조정전문위원회 및 운영위원회의 사전심의 후 본회의 의결
□ 과기혁신본부와 기획예산처와의 협의를 통해 정부(안) 확정

4) 예산조정·배분 추진체계
□ 단계별 심의를 통한 예산조정.배분의 효율성 제고
  - 1단계 부처별 지출한도 설정을 위한 심의 시에는 심의대상을 별도로 정한 중점검토사업에 한정하고, 부처별 지출한도에 따른 2단계 예산요구서에 대한 심의 시에는 예산조정.배분 대상사업 전체에 대해 심의함으로써 예산조정.배분의 효율성 제고
□ 사업평가와의 연계를 통해 예산조정.배분의 실효성 확보
  - 국가연구개발사업 평가 위원회와 예산조정.배분 전문위원회의 위원 겸임으로 위원회간 사업관련 정보교류, 평가와 심의 원칙 공유 등 예산조정.배분의 일관성 확보

- 전년도 사업평가 결과를 예산조정.배분 및 사업추진체계 개선 등에 충실히 반영
□ 전문위원회 운영의 활성화를 통한 전문성 강화
  - 다양한 분야의 전문가 참여 확대와 전문위원회의 심층적. 상시적 검토·심의 체계 확립으로 예산 조정·배분의 전문성 확보
□ 국가 중장기 계획에 따른 예산 조정.배분의 전략성 강화
  - 국가R&D사업 Total Roadmap(중장기 발전전략)과 '08년 국가연구개발 투자방향 등에 근거하여 심의
□ 예산 조정·배분 추진 일정

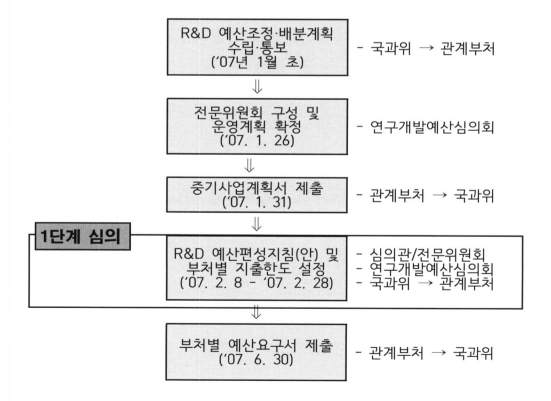

```
┌──────────────┐              │
│  2단계심의    │              ⇓
└──────────────┘   ┌──────────────────────────┐   ┌─────────────────────┐
                   │ R&D사업 예산조정.배분     │   │ - 심의관/전문위원회   │
                   │ -부처별·사업별   예산(안) │   │ - 연구개발예산심의회  │
                   │ 작성                      │   │                     │
                   │      (′07. 7월 말)        │   │                     │
                   └──────────────────────────┘   └─────────────────────┘
                                  ⇓
                   ┌──────────────────────────┐
                   │   예산조정.배분(안) 확정   │   - 국과위  보고
                   │      (′07. 8월 말)        │
                   └──────────────────────────┘
                                  ⇓
                   ┌──────────────────────────┐
                   │     예산 편성  반영        │   - 국과위 및 기획예산처 협의
                   │    (′07. 8~9월 말)        │
                   └──────────────────────────┘
```

제3장 수요자 참여제도 도입 방안

1절 수요자를 지향하는 과학기술 거버넌스 도입 필요성 제기

1) 우리나라 과학기술정책 형성과정

□ 우리나라 과학기술 행정체계는 국가과학기술위원회와 과학기술부를 중심으로 편성되어 있음

□ 과학기술부는 부총리급 부처로서 과학기술혁신본부를 설치하고, 국가혁신시스템(NIS)을 구축하여 국가R&D 통합조정에 핵심적 역할을 담당하고 있음

□ 현재의 과학기술정책 형성과정은 정책수요자의 설정과 수요자 지향적 정책수립이 미비했으며, 거버넌스 구조에서 일반적으로 나타날 수 있는 문제점이 과학기술정책 분야에서도 나타날 위험성을 가지고 있음

2) 과학기술 거버넌스 도입 방향[23]

□ 과학기술 거버넌스 확립을 위해 시민참여가 중요하나, 지금까지 우리나라의 시민참여 형태에는 다소 문제점이 있었으며, 이를 극복하여야만 바람직한 거버넌스를 확립할 수 있음

□ 과학기술정책 거버넌스의 구조는 정책의 입안자(정부, 국회 및 준정부기구), 1차 정책고객인 과학기술인, 2차 정책고객인 일반시민으로 나눌 수 있음

---

23) 과학기술정책연구원(2005), 혁신주체 참여를 통한 과학기술 거버넌스 구축방안

□ 새로운 과학기술정책 거버넌스는 접근성과 개방성, 쌍방향성과 상호학습, 신뢰, 전문성, 시민참여의 성격을 가지는 것이 바람직함

2절 수요자 위원회의 설치

1) 수요자의 개념

□ 과학기술의 수혜대상으로서의 수요자는 넓은 의미로는 국민이며, 좁은 의미로는 과학기술의 생산 결과와 관련된 사람들 즉, 분야별로 해당 과학기술을 이용하거나 혜택을 받는 해당 국민으로 볼 수 있음. 예를 들어 해양분야의 경우는 어민, 수협, 해양수산부(정부부처), 해양과학기술자 등이 될 수 있음

□ 수요자는 과학기술과의 관련정도에 따라 직접적인 수혜를 받는 직접수요자와 간접적인 영향을 받는 간접수요자로 나눌 수 있음

□ 또한 국가 R&D의 통합조정의 입장에서 볼 때 수요자로 참여가능한 대상은 일반국민이나 시민, 시민단체 등으로 한정할 수 있음

□ 따라서, 수요자 위원회의 참여 대상은 수요자위원회 기획과정을 거쳐 보다 타당한 대상을 규정하여 위원회를 구성하는 것이 바람직 할 것임

<표 6> 과학기술정책 정책고객 분류[24)

	개인수준	조직수준
1차적(직접적)	현장 과학기술인, 엔지니어, 기술자, 연구원, 개발자, 교수, 대학원생 등	기업, 정부출연연구소, 국공립 연구소, 대학, 과학기술인 단체
2차적(간접적)	일반국민	다른 나라 등

2) 수요자 중심의 R&D정책의 필요성[25)

□ 과학기술 사용 개념의 급속한 발전을 과학기술 생산 정책에 신속히 반영하기 위해서는 수요자 중심의 과학기술정책이 필요함

□ 과학기술정책의 결정에 있어서 고전적 패러다임에서 새 패러다임으로의 전환을 위해서는 정책결정과 집행에 있어 새로운 규범이 필요함.

□ 공개성 및 투명성 확보와 시민의 다양한 의견이 정책에 투영될 수 있는 정책형성과정이 수반되어야 함

□ 과학기술에 대한 이해관계자(Stakeholder)의 범위가 넓어지고, 다양화되어 가고 있는 상황에서 이들 간의 의사소통과 의견조종에 대한 필요성이 더욱 증가

---

24) 과학기술정책연구원(2005), 혁신주체 참여를 통한 과학기술 거버넌스 구축방안
25) 과학기술정책연구원(2005), 기술혁신정책지원을 위한 조사연구-2; 기획 및 평가

3) 수요자 위원회의 목적

□ 시민사회를 지향하는 국가R&D정책의 발전을 위하고, 막대한 예산이 투입되는 국가R&D에 대한 국민적인 감시망을 구축하여 기존에 문제점으로 지적되어온 정책엘리트(담당관료)의 일방적 정책결정과 전문가들이 참여하는 기술전문위원회의 지식우월주의적 정책과정에 국민이 적극적으로 참여하는 체계를 만드는 데 있음

□ 이러한 수요자 위원회의 구축과 활동으로 일방적 지식전달주의식 과학기술로부터 사회가 요구하는 과학기술을 개발하는 상호발전적이고 시민사회적인 선진국형 과학기술로의 변환이 이루어질 것으로 기대됨

4) 수요자 위원회의 구성 및 역할

□ 국가 R&D의 통합관린 및 조정은 국가과학기술위원회에서 맡고 있으며, 국가과학기술위원회는 국가과학기술자문회의의 자문을 받도록 되어 있음

□ 따라서, 제안하는 수요자 위원회는 국가과학기술자문회의의 산하에 두도록 하는 것이 바람직 함

□ 수요자의 위원회는 여러 공식적이고 투명한 과정을 통해 위원들을 구성하고, 위원수는 가능한한 30명 이상으로 다양한 분야와 다양한 의견을 수렴할 수 있도록 하는 것이 바람직함

그림 11. 수요자 위원회의 설치 방안

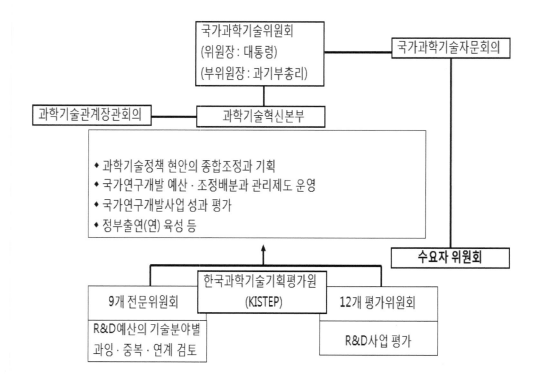

□ 수요자 위원회는 수요자 여론수렴 센터를 설치하여 가동하며, 수요자 여론수렴 센터는 R&D정책과정에 대한 여론수렴을 통해 연구사업선정 및 평가, 사업조정 등에 필요한 자료를 생산하여 수요자위원회에서 평가 및 조정위원회에 해당 내용을 권고하거나 직접 위원으로 참여하는 역할을 할 수 있음

□ 수요자 여론수렴 센터는 국가에서 운영 및 예산을 지원하되, 센터내의 직원은 공무원이 아닌 민간인으로 구성되어야하고, 센터의 주된 임무는 과학기술정책이나 연구사업과 관련

된 여론수렴을 위한 작업과 여론수렴을 통한 결과취합 및 통계처리 등의 작업을 수행하는 것임

□ 이렇게 취합되고 정리된 자료는 수요자 위원회에 보고되어 수요자 위원회에서는 한국과학기술기획평가원에서 수행하는 평가위원회나 예산조정전문위원회에 의견을 제시할 수 있으며, 또한 필요시 해당 위원회의 위원으로 활동할 수 있도록 해야 할 것임

그림 12. 수요자 위원회의 역할 및 여론수렴센터 설치 방안

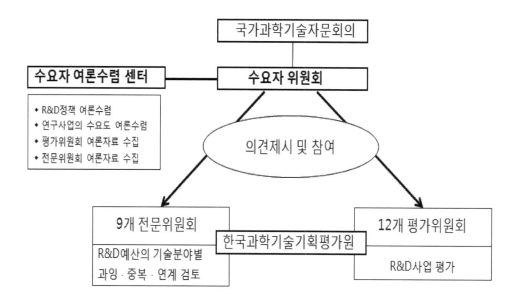

5) R&D사업 평가에서에서 수요자 위원회의 역할 예

□ 현재의 수행되고 있는 사업평가 참여자를 보면 관련공무원 및 민간전문가로 구성되어 있어 수요자(국민, 시민)의 참여는 사실상 배제되어 있는 상황임

<표 7> 사업평가 추진자들의 구성과 역할[26]

위원회 등	구 성	역 할
국가연구개발 평가위원회	·위원장 : 과학기술혁신본부장 ·위원 - 관련 부처 실.국장급 공무원 - 민간전문가 등 약 20명	·각 부처의 사업평가 감독 - 국가R&D사업 평가계획(안) 수립 - 매년 평가대상 심의 및 확정 - 평가 추진현황 감독 및 질 관리.통제 - 평가결과의 심의 - 정책반영 상황 점검 등
연구개발 평가추진단	·혁신본부 공무원	·국가연구개발평가위원회 지원 ·특정평가/상위평가 추진 업무 등
부처사업 평가위원회	·관련 공무원 및 민간전문가	·부처의 사업평가 전반 기획 및 감독 - 부처 내부의 평가계획 수립 - 평가의 추진현황 감독 및 質 통제 - 과제별 사업평가팀 운영 및 감독 등
부처사업평가 팀	·관련 공무원 및 민간전문가	·부처사업 평가실무 담당 ·부처사업모니터링
KISTEP 사업평가 전문가그룹 (Working Group)	·KISTEP의 평가전문가 ·국내의 사업평가 전문가 ·연구개발 분석 전문가 ※필요시, 외국인 민간전문가 포함	·국가평가시스템 연구 ·사업평가 가이드라인 작성 ·성과분석 방법론 개발 ·각 부처 자체평가활동 모니터링 ·특정평가/상위평가 실무 담당 ·개별사업에 대한 분석 등

---

26) 한국과학기술기획평가원(2006), 국가연구개발사업 평가체계의 효과적 구축을 위한 제언, issue paper 2006-03

□ 따라서 현행 평가위원회는 해당분야의 전문분야의 심층적 분석을 위해 꼭 필요하지만 해당분야 전문가의 편견 및 동일분야 보호 등 여러 문제가 발생할 수 있는 바, 이를 견제하고 보완할 수 있는 수요자 위원회가 필요

□ 수요자 위원회에 기반한 평가체계를 구축함으로써 국가 R&D평가의 완전성을 높이는 것을 목표로 함

6) 영국에서 운영하는 사용자 위원회의 예

□ 영국의 공학.자연과학 연구위원회(Engineering and Physical Sciences Research Council, EPSRC)에서는 과학기술의 평가를 위해 사회이슈 위원회(Societal Issue Panel), 기술성검토 위원회(Technical Opportunities Panel) 및 사용자 위원회(User Panel)의 3개 위원회를 운영 중임

□ EPSRC (공학.자연과학 연구위원회) 현황

- 기존의 일반과학/공학연구회가 분할됨에 따라 1994년에 설립된 EPSRC의 역할은 공학과 자연과학 분야에서 기초, 전략, 응용연구를 수행하고 이와 관련된 분야의 연구 인력을 양성하는 것을 목적으로 함.

- 이를 위해 연구위원회는 화학, 물리학, 수학, 재료과학, 정보/통신기술, 생명과학, 기반시설 및 환경, 혁신적 제조 등 포괄적 범위의 기초과학을 지원하고 있으며, 다른 연구위원회와 마찬가지로 관련 분야의 지식 확산, 정책 자문, 및 국민 과학기술에 대한 이해를 증진시키기 위한 활동을

수행하고 있음

- EPSRC 프로그램의 특징은 물리, 화학, 공학, 생명공학 등 분야별 구분과 동시에 혁신적 제조 프로그램 및 재료과학 프로그램이 다양한 분야에 적용될 수 있는 프로그램으로 혼용되어 있다는 것임.

- 또한 프로그램의 기획은 연구위원회 산하의 기술성 검토 위원회 (Technical Opportunities Panel)와 사용자 위원회 (User Panel)에 의해 이루어진다. 기술성 검토 위원회는 우선적으로 연구위원회가 지원하는 분야에서 연구 활동이 활발한 연구자 중심으로 구성되나 다양한 견해를 반영하기 위한 제도적인 장치를 가지고 있음

- 사용자 위원회는 연구결과의 다양한 잠재 수요자들로 구성되어 있으며 이 2개의 패널은 매년 연구사업의 수행 상태를 점검하며, 점검 결과는 EPSRC가 지원하는 연구사업들에 대한 우선순위 결정과 예산 배분을 위한 근거를 제공함

제4장 맺음말

1절 국민의 과학기술로서의 위상을 확대하는 수요자 참여제도

□ 향후 새 정부의 국민참여 확대를 위한 노력이 요망
  - 이미 2003년 참여정부 초기에도 '신정부는 참여확대를 위해 과학기술정책 결정과정에 일반시민, 소비자, 현장과학기술자, 이해당사자들이 폭넓게 참여할 수 있는 제도적 틀을 마련해야한다'는 의견이 제시되었으며[27], 국가과학기술자문회의와 기술영향평가 등의 제도를 통해 일부 시도되어 왔으나 미흡한 실정이었음

□ 정부 의사결정에의 민간 참여의 장점과 단점에 대한 연구결과에 따르면 정부와 국민 모두 상호호혜적인 이익이 크나 불이익도 중요한 고려대상임을 알 수 있음.[28]

□ 수요자 위원회의 설치와 같은 수요자 참여제도의 활성화는 과학기술에 대한 국민의 이해도 능력을 제고하고 실질적인 참여를 도모한다는 점에서 바람직함

□ 수요자 지향적인 과학기술정책의 수립/집행/평가/조정을 도모하고 지속적인 과학기술정책의 투명성, 효율성을 위한 시스템이 확보됨으로써 국민의 삶과 밀접한 과학기술발전을 기대할 수 있음

---

27) 이영희(2003), 신정부 과학기술정책 방향에 대한 시민단체의 시각, 과학기술정책, JAN-FEB 2003
28) 김상묵 외(2004), 중앙정부 정책과정과 시민참여, 한국행정논집, 제 16권 4호

□ 본 연구를 통해 과학기술R&D정책에 대한 국민의 참여를 제고함으로써 향후 시민사회를 지향하는 과학기술정책을 정립하고 구체화하는 데 기여할 것으로 보임

<표 8> 정부 의사결정에의 민간 참여 장점과 단점

	민간참여자의 이익	정부의 이익
결정 과정	○ 교육(정부 관계자로부터의 정보습득과 학습) ○ 정부에 대한 설득과 계몽 ○ 적극적으로 활동하는 국민의 역량증진	○ 교육(국민으로부터의 정보 습득과 학습) ○ 시민에 대한 설득 ; 신뢰 구축 ; 불안 또는 적대감 경감 ○ 전략적 제휴관계 형성 ○ 결정의 정당성 확보
결과	○ 교착상태 해결 ; 결과 도출 ○ 정책과정에 대한 상당한 통제획득 ○ 보다 양질의 정책과 집행계획	○ 교착상태 해결 ; 결과 도출 ○ 소송비용 회피 ○ 보다 양질의 정책과 집행계획
	민간참여자의 불이익	정부의 불이익
결정 과정	○ 시간 소모 ○ 결정이 무시될 경우 효과 없음	○ 시간소모 ○ 비용 ○ 정부에 대한 적대감 고취, 반발 초래
결과	○ 반대하는 이익집단에 의해 과도한 영향을 받는 경우 정책결정의 질 저하	○ 의사결정에 대한 통제력 상실 ○ 정치적으로 무시하기 곤란한 나쁜 결정을 내릴 가능성 ○ 실행계획 추진 예산 삭감

자료 : Irvin & Stansbury(2004 : 56-58).

2절 수요자 참여 제도의 문제점 및 개선방안

1) 수요자 참여 확대에 따른 문제점

　□ 과학기술정책에 대한 참여 확대는 '정책결정의 민주주의'라

는 주제와 '과학기술 활용의 민주주의'라는 주제로 나눌 수 있음[29]

- '정책결정의 민주주의'는 참여자들이 과학기술나 철학.윤리적 관점에서 정확한 정보를 근거로 합리적인 판단을 내릴 수 있어야 한다는 전제가 필수적임
- 그렇지 않고 감상적인 선동에 의한 참여는 이득보다는 손실이 크고, 그 피해는 단순히 정치나 사회문제의 참여에서 나타날 수 있는 것보다 훨씬 더 심각할 수도 있음
- 한편 '활용의 민주주의'에 대해 확립된 과학지식을 사회를 위하여 바람직하게 활용되기 위해서는 과학기술정책의 결정과정에 가능한 한 많은 사회 구성원이 참여하여야 함
- 그러나, 충분한 준비를 갖추지 않은 시민들이 정책결정에 참여하는 것은 자기의지보다는 선동이나 시류에 따르기 쉬워 반대를 위한 반대, 혹은 정치적 동원 등 또 다른 문제를 갖게 될 수 있으므로 이들에 대한 체계적인 과학기술 교육이 필요함

□ 수요자 참여의 실행을 어렵게 하는 문제들을 살펴보면 다음과 같이 정리해 볼 수 있음[30]

- 참여시민 선발 문제: 적합한 참여자 선정에 실패하면 당연히 시민참여정책은 실패할 것임
- 평가수행의 어려움 문제: 정보의 부족, 평가방법 및 기술

---

29) 권기창 외(2006), 과학기술정책의 거버넌스 변화, 한국정책과학학회보 제 10권 3호
30) 강근복(2006), 시민참여정책평가의 개념적 특성과 실행조건, 행정논총, 제 44권 4호

에 대한 이해부족, 참여시간상의 제약 등으로 인해 발생하는 어려움

- 시간과 비용 문제: 다수의 참여자 및 참여자의 다양한 특성 등으로 인해 시간과 비용이 많이 드는 문제 발생

- 합의된 결론 도출의 어려움: 참여자들 사이의 상이한 관점과 가치관, 견해 등을 조정하는 데 어려움이 발생할 수 있음

2) 시민참여 반대론과 찬성론 고찰[31]

□ 과학기술정책이 국민의 일상생활에서 차지하는 비중이 날로 높아져 가고 있으나, 과학기술정책이 가지는 엘리트주의로 인해 국민이 참여가 충분히 이루어지고 있지 않으므로, 과학기술정책에 대한 시민참여가 과연 바람직한가에 대한 논의를 살펴 봄

□ 시민참여 반대론 입장

- 과학기술정책에 대한 시민참여를 반대하는 입장들은 기본적으로 전문가주의에 입각해 있음. 즉, 전문적인 훈련을 받은 전문가들만이 과학기술과 관련된 결정을 내릴 수 있는 능력과 자격을 갖추고 있다고 보는 견해

□ 시민참여 찬성론 입장

- 과학기술은 기본적으로 공공적 성격을 지니고 있으므로, 시민들의 세금으로 추진되는 국가적 과학기술 연구개발사

---

31) 참여연대시민과학센터(2002), 과학기술·환경·시민참여

업은 한정된 특정집단의 협소한 이익이 아니라 국민 모두의 이익을 향상시키는 데 그 목적을 두어야 한다는 견해

- 기술시민권 주장: 기술사회에서 과학기술정책결정과 관련하여 사회구성원들이 향유해야 하는 참여의 권리

- 평범한 지식의 중요성: 과학적 이슈에 대해 일상적인 삶의 경험속에서 축적한 일반시민들의 지식이 문제해결에 더 효과적일 수 있다는 주장

- 공공정책의 정당성과 효과성 제고: 시민참여를 통해 국가 과학기술정책에 대한 검증이 이루어지므로 정책결정자/집행자의 관점에서도 시민참여의 필요성이 제기

3) 소수의 전문가와 다수의 일반인에 대한 논의[32]

□ 우리나라의 과학기술정책결정의 일반적인 방법론은 소수 전문가 활용이 중심이었다고 할 수 있음. 그러나 이러한 '소수' 중심의 결정은 항상 딜레마를 동반함. 소수는 신속한 결정을 내릴 수 있는 반면 다양한 이해관계자의 의견을 대표하는 대표성에 있어서는 절대적으로 취약하다는 것임

□ 정당성의 문제 제기: 지금까지는 '전문가'에 의해 우리 사회가, 또는 우리의 과학기술이 진단되어졌다고 한다면, 이제는 과학기술에 대한 사회적 수요의 관점에서, 그리고 정책목표를 고려하는 가운데 전문가를 진단해 보아야 하는 시점이 되었음. 문제는 종종 이러한 정치적 결정들이 과학기술계 내

---

32) 과학기술정책연구원(2005), 기술혁신정책지원을 위한 조사연구-2; 기획 및 평가

의 학문적, 기술적 합의가 채 이루어지지 않은 상황에서도 요구된다는 점임. 그랬을 때 바로 그 결정의 '정당성'의 문제가 대두됨

□ 다차원적 전문가 활용과 전문가 네트워크: 전문가는 과학기술변화의 속도가 빠르고, 세분화 과정이 심화되면서 현재 우리나라의 정책결정과정에 매우 중요한 역할을 부여받고 있음. 연구개발을 '기술' 그 자체가 아닌 '사회적으로 해결해야 할 문제'로 인식할 때 전문가의 활동범위는 매우 넓어지므로 우선 '전문가'의 범위 자체가 확대 되고, 전문가의 기준 또한 학문적 지위가 아닌 실제의 경험과 전문지식이 되어야 함

□ 정책과정에서 문제제기와 문제공유, 그리고 의제설정으로 나아가는 과정에서 시민의 참여가 보장되어야 함. 현황과 전망의 분석이 해당분야 전문가에 의해 이루어지는 과정에서 이를 위한 전문가가 투입되며 동시에 그 분야에 대한 논의가 함께 이루어질 수 있는 전문가 네트워크가 필요함

4) 수요자 참여방법 논의[33]

□ 오프라인과 온라인상에서의 참여방법은 매우 다양하며, 또한 그 효과에 있어서도 다름. 우리나라에서는 공청회나 전문가자문회의를 제외하고는 거의 참여방법을 시도한 적이 없기 때문에 이제 본격적으로 외국에서 논의되고, 그 효과성을 검

---

33) 과학기술정책연구원(2002), 과학기술정책수립과정의 개선방안:정책결정과정의 참여확대방안을 중심으로

토하기 시작한 오프라인상에서의 공공참여(시민참여보다는 좀 더 넓은 개념으로 대항전문가, 이해관계자 등 좀더 폭넓은 참여대상을 포함한 개념)와 정보통신기술의 발달로 점차 모습을 나타내고 있는 온라인 상에서의 참여방식을 본격적으로 검토할 필요가 있음

□ 참여방법의 과학화, 전자화, 참여범위의 확대라는 측면에서 과학기술정책결정에 참여하는 조직과 방법의 실효성을 분석하기에는 제약이 있기는 하지만 과학기술위원회, 전문가 자문위원회, 공청회, 국회의 과학기술정보통신위원회, 시민단체의 역할들, 행정절차법의 내용 등이 아직까지는 정책결정과정의 시민참여를 제도화시키기 위한 과학기술부의 조직문화를 바꾸지는 못하고 있음

□ 시민참여제도를 도입할 경우 다음과 같은 사항에 주의를 기울여야 함

　① 목표가 명확한가- 정책결정자에게 신뢰를 주고, 논쟁거리에 대한 공유된 이해도를 높이고, 이들을 어떻게 달성할 것이냐에 대해서 필요

　② 의사결정과정과의 연결고리가 명확한가- 참여결과가 어떻게 의사 결정에 반영되며 ,이를 위한 절차는 명확한가

　③ 토의의제나 절차가 참여자간에 합의를 보여주고 있는가

　④ 신뢰도를 높일 수 있는가- 제3자적 촉진자나 평가자를 활용함으로써 의사결정자로부터 과정을 독립시킬 수 있는가

⑤ 과정이 효과적으로 마련되어 있다는 점에 대해서 합의를 보여 줄 수 있는가

⑥ 대상집단의 대표성

⑦ 포괄성- 과정이 얼마나 통상 배제된 집단을 포함시킬 수 있는가

⑧ 목표와 관련된 시기- 시민참여 후 그 결정이 의사결정에 포함시키는 시기와 관련이 있는가

⑨ 개방성과 투명성- 참여과정의 계획과 조직, 참여자들의 논의내용을 추적할 수 있는가

⑩ 신중한 논의- 참여자들이 제공된 정보를 충분히 소화하고 토론 및 논의에 참여하는가

⑪ 제공된 증거가 참여자에게 유용한가

⑫ 전문적인 참여과정을 위해 충분한 자금과 지원이 있는가

⑬ 시민들의 학습에 기여할 수 있는가

□ 정책결정과정에 있어서 투명성과 협의 및 적극적 참여를 의미하는 전자민주주의는 방법론상에서 차이가 있음을 보여 주고 있음. 즉 폐쇄성에서 개방성으로 나아가기 위한 정보공개, 정보공개를 바탕으로 한 정책결정과정에 대한 참여(이것은 다양한 형태가 있다) 그리고 이를 둘러싼 의사소통방법이라고 하는 한 측면과 함께 그리고 온라인 상이냐 혹은 오프라인 상이냐를 구분하는 참여공간적인 방법상으로 구분할 수 있으므로, 참여방법과 참여공간이라는 측면에서 과학기술기본

법의 효과성을 높이는 작업을 진지하게 검토해야 할 것임

5) 수요자 위원회의 효율적 활동을 위한 개선방안

□ 수요자 위원회의 운영을 위한 준비위원회가 발족되어야 함

- 준비위원회는 국가과학기술자문회의에서 구성하는 것이 바람직함

- 준비위원회는 위원의 선정 체계 및 운영지침을 만들고, 수요자 의견수렴센터의 발족에 관한 제반사항을 다루어야 함

□ 국가R&D정책과정에 국민참여를 확대하기 위한 공청회와 여론수렴이 우선 시행되어야 함

- 여론수렴은 준비위원회에서 전 과학자 및 정책연구자 그리고 비정부기구인 시민단체를 대상으로 설문을 통해 가능한한 많은 의견이 수집되어야 할 것임

- 국가R&D정책에 대한 국민참여 공청회는 일방적인 전시형 공청회가 아닌 시민단체나 시민참여정책 전문연구자가 적극 참여하여 의견을 개진하는 형태가 요구됨

□ 수요자위원회가 구성된다면 국민의 참여를 유도하기 위해 여론수렴센터와 같은 인프라구축과 수요자중심의 사고전환을 위한 교육시스템이 가동되어야 함

- 여론수렴센터는 한국과학기술기획평가원에서 한시적으로 설치하여 운영할 수 있으며, 이슈가 되는 사업이나 특정평가대상 사업 등에 대해 대상으로 설문을 통한 여론수렴을

실시하고 그 결과를 수요자위원회에서 검토하여 R&D평가 또는 예산조정위원회의 주요 참조자료로 사용해야 할 것임

- 국가R&D정책에 대한 국민참여 중요성 인지를 위한 교육 시스템은 한국과학기술기획평가원의 인력개발원에서 실시하는 것이 바람직하며, 우선적으로 교육대상은 우선 평가 및 조정위원회 위원 및 연구사업 전 연구자 그리고 정책관련당사자 및 시민단체로 하는 것이 필요함

6) 수요자 위원회의 대안으로서의 연구개발정책 인력풀의 활용 방안

□ 현재 국가R&D정책 관련 인력풀은 국가R&D평가와 예산심의를 수행하는 혁신본부와 한국과학기술기획평가원에 전문가 풀로서 구성되어 있고, 과학기술정책연구원의 과학기술인력연구DB가 있으며 또한 각 출연연이나 평가기관 등에 자체적으로 전문가 인력풀이 갖추어져 있음

□ R&D정책 인력풀에 해당되는 인력대상을 우선 고려하는 순서로 하면 다음과 같이 나눌 수 있음

① 연구개발정책에 관계하는 전문가 또는 관련자

② 연구사업을 수행하는 모든 과학기술인

③ 연구개발정책에 관심있는 비정부기구, 시민단체 종사자

④ 연구개발결과의 직접적 수혜자

⑤ 모든 국민

□ 수요자 참여를 위한 R&D정책 인력풀의 구축을 위해서는

위의 다섯가지 구분을 적용한 인력풀을 구축할 필요가 있으며, 이를 위해서는 한국과학기술기획평가원내에 인력풀 구축팀을 두어 장기간 지속적으로 인력풀을 취합하고 분류해야할 것임

□ 혁신본부는 한국과학기술기획평가원에서 수행하는 평가 및 예산조정위원회에 수요자 참여를 위해 일정비율의 위원을 배정하도록 하며, 수요자 참여를 위해 선정되는 위원은 위의 R&D정책 인력풀에서 3번부터 5번까지의 인력을 대상으로 선정하도록 해야 함

□ 수요자 위원회를 구성하지 않고 수요자 참여를 구현하는 대안으로 제시한 R&D정책 인력풀을 이용하더라도, 여론수렴센터의 도입 및 역할은 여전히 요구될 것임

  - 한국과학기술기획평가원 내에 여론수렴센터의 기능을 두어 각 연구사업과 관련되어 수렴된 의견을 수요자관련 위원이 그 의견을 각 위원회에 전달 또는 직접 참여하여 의견 개진을 통해 정책 및 사업에 반영되도록 해야 할 것임

참고문헌

강근복(2006), 시민참여정책평가의 개념적 특성과 실행조건, 행정
　　　논총, 제 44권 4호.

과학기술부 홈페이지, 국가연구개발 부문내용 참조

과학기술혁신본부, 2007년도 정부연구개발사업 종합안내서

과학기술혁신본부 과학기술정보과(2006), '06년도 기술영향평가 추
　　　진계획(안), 과학기술부.

과학기술혁신본부, 한국과학기술기획평가원, 2008년도 국가연구개
　　　발사업 예산조정.배분 전문위원회 전략회의 자료

국가과학기술위원회 과학기술혁신본부, 2007년도 국가연구개발사
　　　업 특정평가지침, 자체 및 상위평가지침

국가과학기술자문회의(2007), 과학기술정책과 국민과의 상호작용
　　　증진방안

권기창·배귀희(2006), 과학기술정책의 거버넌스 변화, 한국정책과
　　　학학회보, 제 10권 3호.

고용수 외(2005), 한국의 과학기술정책 기획과정과 결정구조의 특
　　　성 분석 - 참여정부의 과학기술기본계획 사례를 중심으로 -,
　　　『정부학연구』, 11권, 1호.

김관보·김옥일(2007), 예산과정의 시민참여 성과의 영향요인에 관
　　　한 연구, 『지방정부연구』, 11권, 2호.

김상묵 외(2004), 중앙정부 정책과정과 시민참여, 한국행정논집, 제
　　　16권 4호

김영삼(2002), 과학기술정책수립과정의 개선방안: 정책결정과정의 참여확대방안을 중심으로, 과학기술정책연구원.

박상욱 외(2005), 혁신주체의 참여를 통한 과학기술 거버넌스 구축 방안, 과학기술정책연구원.

박해육·류영아(2006), 『자체평가과정에서의 시민참여 활성화에 관한 기초연구』, 한국지방행정연구원.

박희봉·김명환(2004), 외국의 과학기술정책에 대한 민간참여 형태, 한국행정학회 추계학술대회.

서지영(2004), 연구개발정책결정과정, 무엇이 문제인가, 과학기술정책연구원.

송위진(2005), 국가연구개발사업과 시민참여, 『경제와 사회』, 통권 제67호.

송위진 외(2004), 『사용자 참여형 기술혁신모델 연구』, 과학기술정책연구원.

이영희(2002), 기술사회에서 참여민주주의의 가능성 연구 - 과학기술정책 관련 시민참여 모델 평가를 중심으로, 동향과 전망, 2002년 여름호.

이영희(2003), 신정부 과학기술정책 방향에 대한 시민단체의 시각, 과학기술정책, JAN-FEB 2003

조황희 외(2005), 기술혁신정책지원을 위한 조사연구-2; 기획 및 평가, 과학기술정책연구원.

참여연대시민과학센터(2002), 과학기술·환경·시민참여

한국과학기술기획평가원(2006), 국가연구개발사업 평가체계의 효과

적 구축을 위한 제언, issue paper 2006-03

한국과학기술기획평가원(2007), 국민이 만들어가는 혁신의 시대로..., 영국 DEMOS 보고서(한국편)

한국해양수산기술진흥원(2006), R&D사업 운영효율성 제고를 위한 위크샵 발표자료

한국해양수산기술진흥원(2007), 2008 해양과학기술 연구개발사업 기술수요조사 안내문

홍성만(2004), 과학기술정책에서 신거버넌스의 대두: 시민참여적 프로그램의 활성화, 『한국행정학회』, 2004년도 동계학술대회 발표논문집.